# もくじ

ようこそ西表島へ。さあ、探検に出かけよう！……… 4

## 1章 ふしぎ！水中から木が生えている!? ……… 6
- 潮が引くと、陸地があらわれた！………… 10
- ここはマングローブの森 ………… 12
- マングローブが海水の塩分に耐えるしくみ ………… 14
- ふしぎな形の根 ……… 16
- 木からぶらさがった太いえんぴつ!? ………… 18
- 種類いろいろ！ 日本のマングローブ図鑑 ………… 22

## 2章 マングローブの川をさかのぼってみよう！ ……… 24
- ヤエヤマヒルギの森 ………… 25
- オヒルギの森 ………… 26
- マングローブ林から陸地の森へ ………… 30
- ヒルギだけじゃない！ うかんで流れる種子・果実図鑑 ………… 32

## 3章 生きものあふれるマングローブ干潟 ……… 34
- 干潟の主役は小さなカニたち ………… 36
- 前に向かって歩くカニ!? ………… 38
- 干潟の音楽家!? シオマネキたち ………… 40
- マングローブ干潟は鳥たちのオアシス ………… 42
- 干潟の生きものを養うマングローブ ………… 44
- たくさんの生きものがすむマングローブ林 ………… 46
- 快適なすみか？ ヒルギ・マンションの住人たち ………… 50

海上から見た西表島。島のまわりはサンゴ礁にかこまれている。

## 4章 マングローブ林が満潮で別世界に! ……… 52
- マングローブの根は巨大な迷路! ………… 54
- マングローブは小魚たちのシェルター ………… 56
- マングローブ林の水路などの汽水域にすむ魚たち ………… 57
- 海からやってくる大ものたち ………… 58
- また会おうね、西表島! ………… 60
- 見に行こうよ! 日本でマングローブが見られる場所 ………… 62

## 5章 マングローブとわたしたち ……… 64
- 世界のマングローブ林 ………… 64
- マングローブ林のめぐみと大切さ ………… 66
- 知ってる? 地球温暖化防止に役立つマングローブ林 ………… 67
- 減ってしまったマングローブ林 ………… 70
- マングローブ林を育てる取りくみ ………… 72
- みんなで考えよう! 海からくるゴミ問題 ………… 75
- マングローブをじょうずに利用する ………… 76

- 読者のみなさんへ ………… 78
- 西表島に行くには ………… 79
- さくいん ………… 80
- この本をつくった人たち ………… 81

「つぎの長期の休みに、西表島へ行くよ!」と、ある日とつぜん、家族にいわれた。
なんでも、島に知りあいの先生がいて、島を案内してくれるらしい。
西表島ってどこにあるのだろう? たしか沖縄県?
知りあいの先生って、学校の先生?
なんだかよくわからないうちに話がまとまって、あっという間に出発日。
いったいどんな旅がはじまるのかな?

### アイコンの説明
 ぼく。この本で、西表島のマングローブ林を探検する主人公。

 昼木先生。西表島で、ぼくにマングローブについて教えてくれる。

# ようこそ西表島へ。
# さあ、探検に出かけよう！

ぼくたちは、飛行機や船を乗りついで、沖縄県八重山諸島の西表島にやってきた。
地図で見ると、西表島は、日本の南西の端っこだ。
そこでぼくたちを出むかえてくれたのは、昼木先生。
先生は、西表島で植物や動物の研究をしているんだって！

「先生、こんにちは！」

「ようこそ西表島へ！
この島は、とても自然がゆたかな島なんだよ。
イリオモテヤマネコが有名だけど、それだけじゃない。
ぜひ、みんなに見てもらいたいものがあるから、
すぐに出かけることにしよう！」

前日、空港のある石垣島に泊まり、翌朝、船で西表島の上原港に着いた。

案内されて到着したのは、大きな川の河口。
そこには、色とりどりのカヌーがならんでいた。

「さあ、このカヌーに乗って出発するよ！」

いったいどこへ行くんだろう？

「風が気持ちいいなあ。」

どうやら、ぼくたちのカヌーは、
川の上流に向かって進むようだ。
目の前には、緑の森や山、大きな橋が見えている。

「ほら、あそこを見てごらん。」

先生が指さす方向を見ると……。

川といっても、河口のこのあたりは海水の影響が強く、水をなめると塩からさを感じる。

# 1章 ふしぎ！水中から木が生えている!?

そこにあったものは……なんと水中から生える木!?

「この木はどうして、こんなところにあると思う？
❶ 地震で地面がしずんでしまった。
❷ 崖くずれで、陸地の木が土といっしょに、水の中にすべり落ちてしまった。
❸ ここに、もとから生えている。
どれだと思うかな？」

「う〜ん……水中から木が生えるなんて、今までに聞いたことがないや。
それならば、❶か、❷かな？」

葉のついた枝先まで水につかっている木。
どうしてこうなったんだろう？

海水のまじった水につかっていても、元気に育っている木。根もしっかりと土の中にのばしている。すると6ページの答えは?

「近づいて、よく見てみよう。」

水中から生えるそれらの木は、葉も青々としてとても元気そうだ。

「この木はヤエヤマヒルギ。黄色いのは落ち葉だけど、緑の葉を一年じゅうつけている常緑広葉樹だよ。」

「あっ、水中のすがたは少し変わった形をしている！」

「そう、タコの腕のように、たくさんの根をのばしているのが、この木の特徴だよ。」

# 潮が引くと、陸地があらわれた！

カヌー乗り場にもどって、つぎに案内されたのは、
さっき、カヌーからも見えていた大きな橋の上。

「この川は浦内川。西表島はもちろん、沖縄県でもいちばん長い川だよ。
海とつながる河口は、潮の満ち干の影響が大きいんだ。
水も海水とまじりあっているし、
海の魚、それも全長が１ｍを超えるサメが入ってくることもあるよ。
今（下の写真Ⓐ）は、ほぼ満潮のときの水の状態。
それがどのように変化するのかを、観察してみよう。」

Ⓐ橋に着いたときは満潮で、木々は水につかっていた。

Ⓑ約３時間後、潮が引いて地面が見えてきた。

満潮のときから約3時間ごとに、ぼくらは橋の上から河口のようすを観察した。
そうしたら、大きな変化が起きたんだ。

「きょうはちょうど、潮の干満の差が大きい大潮の日なんだ。
この河口には、川の上流から運ばれてきた砂や泥がたまっていて、
それが潮が引いた干潮のときにだけ、干潟としてあらわれるんだよ。
満潮のときに水中から生えているように見えた木は、
干潮のときに見れば、干潟の地面にもとから生えていた木だとわかるね。」

「まさか、クイズの答えは❸だったんですか！」

＊潮の満ち干は、ふつう1日に2回起こり、満潮や干潮の時間は日ごとに少しずつ変わっていく。

Ⓒさらに約3時間たつと、すっかり潮が引いて陸地になってしまった。

# ここはマングローブの森

潮が引いたので干潟に降りて、歩いて水中から生える木を見に行くことにした。
ヤエヤマヒルギも、すっかり全身をあらわしていて、
満潮だと見えなかった根も、よく見ることができた。

「川の河口や内湾など、海水と淡水がまじりあうところを〈汽水域〉というよ。
熱帯や、西表島のような亜熱帯地域の汽水域には、
海水にも耐えて育っている木がたくさん生えているんだ。
ヤエヤマヒルギのほかにも、メヒルギやオヒルギなどの木があるので、
それらの種類をまとめて、〈マングローブ〉とよんでいるんだよ。」
（22〜23ページの「日本のマングローブ図鑑」も見てみよう）

「でも、海水には塩分がふくまれていますよね。だいじょうぶなんですか？」

「そうだよね。
海水中には、約3.5％の塩分がふくまれているので、
ふつうの植物は、汽水域や海では生きていけないんだ。
それでは、つぎはなぜ、マングローブが海水につかってもだいじょうぶなのか、
そのひみつをさがしにいこう。」

干潟の陸側には、マングローブの一種のヤエヤマヒルギがたくさん生えていて、森をつくっていた。

# マングローブが海水の塩分に耐えるしくみ

目の前に広がる青い海。マングローブはこんな場所にも生えている。

「マングローブとよばれている植物が、なぜ海水につかってもだいじょうぶなのか……。それは、マングローブのいくつかの種類には、その根や葉などに、海水の塩分に耐える特別なしくみがそなわっているからなんだ。だから、海水の影響が強い汽水域でも、しっかり育つことができるんだよ。」

「そんなしくみのおかげで、満潮のときには海になるような場所でも、マングローブは元気に育っているんですね。」

オヒルギ（写真）やヤエヤマヒルギ、メヒルギは、黄色くなった古い葉に塩分をためて、それを落葉させることで、体内に入ったよぶんな塩分を体外に出していると考えられる。この黄色い葉をかじると、少し塩からい味がするよ。

ヤエヤマヒルギやメヒルギは、根で水を吸収するときに、塩分が入らないしくみがあると考えられている。写真は水中から見たヤエヤマヒルギの支柱根（→ p.16）。

ヒルギダマシには、葉の表裏の両面に〈塩類腺〉とよばれる特別な器官があり、体内のよぶんな塩分を出している。風のない日中なら、葉の上に塩の結晶（➡）が見られることがある。

**ヤエヤマヒルギの支柱根**
幹や低い枝から、タコの腕のように四方にのびて、しっかり幹を支えている。

# ふしぎな形の根

「マングローブのなかには、ふしぎな形の根を発達させているものがあるよ。
そして、その根の形で、マングローブの種類もわかるんだ。」

「このふしぎな形の根には、なにか役割があるんですか？」

「根の役割って、〈水分や養分を吸収すること〉、〈呼吸をすること〉、〈幹を支えること〉だよね。
〈支柱根〉や〈板根〉は、その形が、やわらかい土で幹を支えるのに適しているよ。
潮が引きはじめたとき、早く水から出て呼吸をするのに都合がよい根が〈筍根〉や〈膝根〉だよ。
よく水につかる干潟は、地面の中に空気が少ないので、地面の上にも根をのばすんだ。
マヤプシキやヒルギダマシの〈筍根〉をよく見ると緑色をしている。
これは葉緑素をもっていて、葉と同じように光合成もしているんだ。
〈支柱根〉、〈膝根〉、〈筍根〉のように、地面の上に出ている根を、〈気根〉とよぶこともあるよ。」

### マヤプシキの筍根
（直立通気根）

木のまわりにタケノコ（漢字一字で「筍」と書く）のように生えることから、こうよばれている。ヒルギダマシも筍根を出すが、マヤプシキよりも細いのが特徴。この2種の筍根をよく見ると、緑色をした部分があり、光合成もしている。

### オヒルギの膝根

わたしたちが膝を曲げたような、折れ曲がった形をしていることから、こうよばれている。下の写真は、オヒルギの膝根の断面。中にすきまがあり、空気をためている。

### メヒルギの板根

板のように広がって発達するため、こうよばれていて、幹を支える役目をしている。干潟と陸地の境に生えるサキシマスオウノキ（→ p.31）は、大きな板根を発達させる。

オヒルギの花と散布体。

# 木からぶらさがった太いえんぴつ!?

「植物は自分の子孫を残し、分布を広げるために、種子や胞子をつくるね。
広い範囲にばらまく、つまり散布するものだから、種子や胞子は〈散布体〉ともよばれているよ。
マングローブのなかでも、オヒルギ、メヒルギ、ヤエヤマヒルギの散布体は少し変わっていて
木についている果実の中で種子が発芽して、果実の外にまでのびてくるんだ。
木にぶらさがった太いえんぴつみたいなものがそれで、
外にのびてくる部分（胚軸）はオヒルギやメヒルギで20cm、ヤエヤマヒルギで30cmにもなる。
種子が、母親である木になったまま発芽し、成長するから〈胎生種子〉とよばれることもあるけど、
えんぴつみたいなものは種子ではなく、言ってみれば苗木のようなものなんだ。」

「でも、この散布体は、どうやって広い範囲に散布されるんですか？」

水に落ちて流れていく、オヒルギの散布体。

「マングローブが生える干潟は、満潮になると水につかってしまうね。じつはオヒルギなどの散布体は、水面をただよって散布されるんだ。散布体は、水面をただよっているあいだは芽を出さず、干潟や海岸に流れつくと、そこで最初に根をのばして、十分に根がのびてから葉を開いて成長していくんだよ。」

海岸で見つけたオヒルギの散布体。しかし、海岸に流れついたすべての散布体が、ぶじに成長できるわけではない。

「塩分をふくむ汽水域や、潮の満ち干のある環境に適応したマングローブだけど、
この西表島のように大きな森になるには、
とても長い年月が必要なんだよ。
ここに生えている若木は、およそ3年ぐらいたったものだと思うけど、
ちゃんと成長して、りっぱな木になるといいね。」

流れついた散布体は、横になっていても地中に根をのばし、しだいにまっすぐに立ちあがってくる。この写真は、根をのばしてなん日もかかって、まっすぐになっている途中だ。

「うん！
それにしても、塩分を体の外に出したり、
根を地中だけでなく地上にものばしたり、
種子が木の上で育ったり……
マングローブって、聞けば聞くほど、
ふしぎな植物なんですね！
話のなかでいろんなマングローブが出てきたけど、
もっとくわしく知りたいな。」

「では、日本で見られるマングローブを
まとめて紹介しよう！」

ヤエヤマヒルギの森がある干潟に、
新たに若い木が生えてきた。

## 種類いろいろ！日本のマングローブ図鑑

|樹形||||
|---|---|---|---|
|花||||
|散布体||||

**オヒルギ（ヒルギ科）**
奄美大島以南に分布。高さは10mになり、海外では30m近くになる。膝を曲げたような形の膝根（→p.17）を出す。西表島では一年じゅう、花が見られるが、7〜9月ごろが盛り。

**メヒルギ（ヒルギ科）**
鹿児島県以南に分布し、マングローブではもっとも北まで分布する。高さは4〜8m。根もとに小さな板根（→p.17）ができる。花は5〜6月ごろ、散布体は2〜4月ごろに見られる。

**ヤエヤマヒルギ（ヒルギ科）**
沖縄本島以南に分布する。高さは8〜10mになる。タコの腕のような形の支柱根（→p.16）をのばすのが特徴。花期は冬から初春で、散布体は7〜8月ごろに見られる。

これらが日本に分布しているマングローブだ。西表島では、すべての種類が見られるよ。

| | | | |
|---|---|---|---|
| 樹形 |  |  |  |
| 花 |  |  |  |
| 散布体（果実がそのまま散布体になる） |  |  |  |

**ヒルギダマシ（キツネノマゴ科）**
宮古島以南に分布。最近は持ちこまれたものが沖縄本島に広がっている。沖縄では高さ3〜4m、海外では10m以上になる。筍根を出す。花は初夏から夏、果実は9〜10月ごろ。

**マヤプシキ（ミソハギ科）**
石垣島、小浜島、西表島に分布する。別名ハマザクロ。高さは数mになる。筍根（→p.17）はヒルギダマシよりも太め。花は春と秋に見られる。果実には100〜200個の種子がある。

**ヒルギモドキ（シクンシ科）**
沖縄本島以南に分布する。高さは2〜4mになり、海外では10m近くになる。支柱根（→p.16）などの特別な根は発達しない。花期は3〜8月で、果実は5〜10月に見られる。

# 2章 マングローブの川を さかのぼってみよう！

「マングローブは、海岸から川の河口だけでなく、
ときには、満潮になると海水が入る、
川の中流域にまで広がっているんだ。
きょうはカヌーで川をさかのぼって、
どこまでマングローブ林があるのか見に行こう。」

「どんなものが見られるのか、楽しみ〜！」

西表島には、マングローブの生えている川がたくさんある。

小さな川の両岸はヤエヤマヒルギでいっぱいだ。

# ヤエヤマヒルギの森

「河口近くで、干潮時に干潟になるようなところに生えているのがヒルギダマシやマヤプシキ。そして、河口から川を少しさかのぼると、川岸に見えてくるのは、たくさんのタコの腕。」

「ヤエヤマヒルギですね！ すごくたくさん生えてますね。」

「そのとおり！ 浦内川の河口近くだと、メヒルギも生えているよ。」

島東部の干潟だと、筍根をのばすマヤプシキも生えている。　　小さな板根を広げたメヒルギ。

## オヒルギの森

カヌーをしばらく上流へとこぎ進めていったら、川幅が細くなって、まわりの森のようすも変わってきた。

「河口近くには、ヤエヤマヒルギがたくさん生えていたけど、上流へ行くにしたがって、ヤエヤマヒルギは少なくなり、オヒルギがふえてくる。
そしてついには、オヒルギのジャングルになるよ！」

川の上におおいかぶさるように枝をのばすオヒルギ。まさにオヒルギのジャングルだ。

「オヒルギの森は、地面が膝根（→ p.17）でいっぱいだ！
ヤエヤマヒルギの生える河口とは、なにがちがうんですか？」

「オヒルギがたくさん生えているような場所は、
満潮になっても、海水があまり入ってこないので、
水中の塩分濃度もずいぶん薄くなっているよ。
そしてオヒルギの森の上流で、サキシマスオウノキが見られるようになると、
川の水はもうほとんど塩分をふくまない、淡水になっているんだ。」

薄暗いオヒルギの森の地面は、膝根にうめつくされている。

ニッパヤシの果実。

**ニッパヤシ（ヤシ科）** 西表島が分布北限のヤシ。地上に幹や茎がなく（地中に根茎がある）、葉が地面から、じかに生えているように見える。葉の長さは5〜8mもある。

水面をただようサガリバナ（サガリバナ科）の花。サガリバナは、マングローブ林の内陸側にある淡水湿地に生える木で、高さ15mほど。夏になると、たれさがった花茎に、たくさんの花を咲かせる。花は夕方から夜に咲き、翌朝になると落ちてしまう一日花。

サガリバナの花。

オヒルギのジャングルでのカヌー探検はドキドキする。

海岸や川岸の、海水につからない場所に生えるアダン（→p.33）。

# マングローブ林から陸地の森へ

「さあ、そろそろマングローブ林の終点。カヌーでさかのぼれるのも、ここまでだ。
ここから先は陸地も高くなって、川も渓流のようになっていく。
まわりはまだ湿地だけど、このあたりは塩分の影響もほとんどないので、
アダンや、サキシマスオウノキなど、
ほとんど塩分をふくむ水にひたることがない木も、見られるようになるんだよ。」

「ここは、マングローブ林と陸地の森との境目なんですね。」

マングローブ林と内陸の林の境目にある淡水湿地。写真の中央からやや左の水面にうかぶピンク色のものは、朝落ちたサガリバナの花。

### サキシマスオウノキ（アオイ科）

高さ15mになる高木で、根もとが巨大な板のような板根になる。写真は、仲間川上流の観光船終点近くにある、西表島名物のサキシマスオウノキの大木。

「ひとくちにマングローブ林といっても、どこに生えているかで樹木の種類もちがうし、いろいろ複雑にできているんだなあ。」

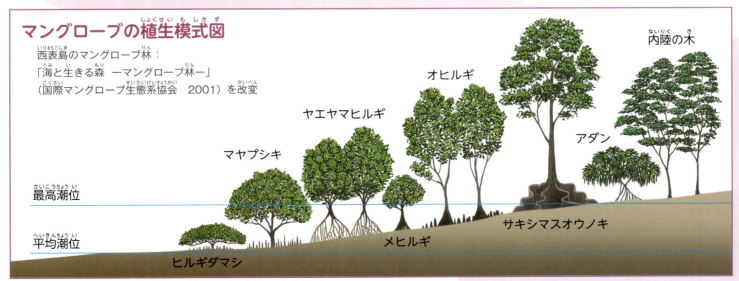

#### マングローブの植生模式図

西表島のマングローブ林：
「海と生きる森 ―マングローブ林―」
（国際マングローブ生態系協会　2001）を改変

1本の川でも、海に近い河口では塩分濃度が高く、上流に行くにしたがって塩分濃度が低くなるので、生えているマングローブの種類も変わってくる。

## ヒルギだけじゃない！ うかんで流れる種子・果実図鑑

ここで紹介する種子や果実は、マングローブ林の周辺部などに生える植物のもの。これらの種子や果実はヒルギのなかまと同じように、海流で散布される散布体になっているんだ。種子や果実のまわりの部分（種皮や果皮など）には、繊維質やコルク質が発達していたり、かわくと内部にすきまができたりして、水にうくようになっているよ。
（写真の種子や果実は、どれも海岸に流れついていたもの）

### ニッパヤシ（ヤシ科）の果実
マングローブを代表するヤシ。写真のような、大きさ6〜8cmの果実がたくさん集まって、直径30cmを超える球状の集合果をつくる。果実の皮は厚く、繊維質が発達して、よく水にうく。西表島、船浦湾のニッパヤシ群落は国の天然記念物に指定されている（→p.29）。

ミフクラギの木と果実。

### モモタマナ（シクンシ科）の果実
別名コバテイシ。海岸近くの林に生える木で、沖縄では街路樹としても植えられる。果実は平たいだ円形で、4〜5cm。漂流中に外果皮や繊維質の多い中果皮は取れて、コルク質がむきだしになる。

### ミフクラギ（キョウチクトウ科）の果実
別名オキナワキョウチクトウ。海岸近くの林に生える。果実は5〜8cmのだ円形。漂流中に果皮は取れて、繊維質がむきだしになる。枝や葉をきずつけると出てくる白い液は、毒なので注意。

モモタマナの木と果実。

### サキシマスオウノキ（アオイ科）の果実
巨大な板根を発達させる木（→p.31）。果実は4〜5cmのだ円形で、中央に細い出っぱりがあり、かたい。内部は繊維質が多く、表面はつるつるで海水がしみこまず、水にういて漂流する。

### アダン（タコノキ科）の果実
マングローブ林の内陸側や海岸に生える木（→p.30右上）。パイナップルのような集合果から、繊維質の発達した果実がばらばらにはずれて漂流する。

### サガリバナ（サガリバナ科）の果実
マングローブ林の内陸側にある淡水湿地に生える木（→p.29下）。果実は3〜4cmで、四角張っただ円形。繊維質が発達し、果皮が取れてしまった状態で漂流する。

### ヒメモダマ（マメ科）の種子
日本最大級の豆をつくるつる植物で、果実（さや）の長さは50cm以上、種子（豆）の直径は4〜5cmになる。種子は木質でかたくて海水がしみこまず、乾くと内部にすきまができるので、水にういて漂流する。

ゴバンノアシの木と果実。

### ゴバンノアシ（サガリバナ科）の果実
海岸林に生える木で、果実の形が碁盤のあしの部分に似ていることが名前の由来。果実は1辺が約10cmの四角形や五角形で、繊維質が発達する。日本では西表島や石垣島に少数あるだけだが、果実は海外から黒潮にのって多数、流れ着く。

ヒメモダマの果実。

# 3章 生きものあふれる マングローブ干潟

「きょうはマングローブ干潟や、その周辺にくらす生きものを見ていくよ。潮が引いた干潟なら、好きなところへ歩いて観察に行けるんだ。」

「広いなあ。でも、ここが数時間まえまで海だったなんて、びっくり！」

「干潟は、一見すると殺風景で、生きものはなにもいないように思えるね。でも、ほんとうは、たくさんの生きものがくらしているんだ。どこにその生きものたちがいるか、わかるかな？」

目の前に広がる干潟は、見わたすかぎり、泥の地面がつづいているだけ。
こんなところに生きものがいるって、ほんとうかな……？
でも、よく見ると、干潟の上に小さな泥のかたまりみたいなものがたくさんある。
これはなんだろう？　引き潮がつくった模様かな？

潮が引いた船浦湾の干潟。

干潟に着いたときはまだ水が残っていたのに、見る見るうちに潮が引いた。

# 干潟の主役は小さなカニたち

「じっと静かにして、干潟を見ていてごらん。少しでも動いたらダメだよ。」

**フタハオサガニ（スナガニ科）**
甲幅2cm。奄美大島以南に分布する。甲は横長で、前縁は曲がっている。干潟の泥っぽい場所に多くすむ。危険を感じると水に入り、目だけを出してあたりのようすをうかがう。

そう言われて、干潟で立ちつくすこと、1分、2分、3分……。

「あれ!? 干潟の泥の中からなにか動くものが出てきた。小さなカニだ！」

「そっと近づいて、よく見てみよう！
このカニのように、大きな石などかくれるものがない干潟にすむ小さな生きものは、水鳥などの捕食者に、かんたんに食べられないように、警戒心がとても強くて、巣穴や泥の中にかくれるようにして、くらしているんだよ。」

「それにしても、このカニたちはなにを食べているんだろう？」

「カニをよく見てごらん。
ハサミをつかって、泥を口のあたりに運んで、だんごをつくっているね。
カニたちは、泥の中にふくまれている植物の落ち葉や、動物の死がいや排せつ物などが
細かくばらばらになったもの……〈デトリタス〉とよばれているものを食べているんだ。」

「干潟いちめんの泥だんご、あれはみんな、カニたちの食事跡だったんだ！」

**リュウキュウコメツキガニ（スナガニ科）**
甲幅1cm。琉球列島に分布する。甲はまるみがある。砂っぽい干潟に多くすむ。巣穴のまわりにたくさんの泥だんごをつくり、干潟を泥だんごでうめつくすこともある。

**ミナミコメツキガニ（ミナミコメツキガニ科）**
甲長1cmほど。種子島以南に分布する。体はまるく、甲は水色。
干潟に集団でくらし、危険を感じると泥にもぐる。

干潟の水ぎわに沿って群れているミナミコメツキガニ。ただし夜の干潟では、ばらばらになって活動している。これは、昼間とちがって、捕食者におそわれる危険が少ないためと考えられる。

# 前に向かって歩くカニ!?

「あの、水ぎわでウジャウジャいるのはなんですか？」

「あれもカニだよ。西表島の干潟を代表するカニの一種、ミナミコメツキガニさ。
ああやって、泥がやわらかい水ぎわで食事をしているんだ。
もちろん、食べているのはデトリタスだよ。
それに、よく見てごらん。なにか気がつくことはないかな？」

「う～～ん……あっ、前向きに歩いてる!?」

「正解！
ミナミコメツキガニは体がまるく、
あしの関節は、ほかのカニとちがって体の真横ではなく、
やや下側についているんだ。
それで、あしを前に向けて動かすことができるから、
前に向かって歩けるんだね。」

**ミナミコメツキガニの泥もぐり**　体を回転させながらもぐっていく。

# 干潟の音楽家！？　シオマネキたち

「ほら、こちらにはシオマネキがいるよ。」

「うわぁ、ハサミが大きい！　それに、その大きなハサミをふっている！」

「片方のハサミが大きいのはオス。メスのハサミは両方とも小さいよ。
オスがハサミをふるのは、メスへの求愛行動なんだ。
このしぐさが、まるで潮が満ちるのを手まねきしているように見えるから、
日本では、〈潮まねき〉の名前がつけられたんだよ。
でも英語では、フィドルというバイオリンに似た楽器をひく人（フィドラー）に
しぐさが似ているカニ（クラブ）ということで、フィドラー・クラブとよんでいるんだ。」

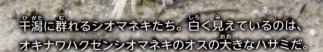

干潟に群れるシオマネキたち。白く見えているのは、オキナワハクセンシオマネキのオスの大きなハサミだ。

メスに求愛するオキナワハクセンシオマネキのオス。

オキナワハクセンシオマネキのオスどうしのけんか。

「シオマネキたちを見ていると、
オスがメスに求愛するようすだけでなく、
オスどうしのなわばり争いのけんかも、
あちこちで見ることができるよ。
シオマネキはスナガニ科のカニで、
数種類いるよ。ぜひ、さがしてみよう。」

**ミナミヒメシオマネキ** 甲幅2.5cm。琉球列島に分布する。ひらけた干潟に生息し、もっともふつうに見られる。甲の色は茶褐色や白など、変化に富む。オスは右のハサミが大きい個体が多く、下側がオレンジ色をしている。

**オキナワハクセンシオマネキ** 甲幅2cm。奄美大島以南に分布する。やや砂や砂利がまじるような干潟に、集団ですむ。甲は黒地に白い模様がある個体が多いが、色の変化も多い。大きいハサミが右のオスと、左のオスがほぼ同数いる。

**ベニシオマネキ** 甲幅1.8cm。奄美大島以南に分布する。マングローブの根もとや石がある場所にすむ。メスは甲が紅色をした個体が多い。オスは甲に紺色や氷色がまじるものが多く、大きいハサミは紅色をしている。

**ヤエヤマシオマネキ** 甲幅2.5cm。沖縄本島以南に分布する。マングローブの下の泥の場所にすむ。甲は黒褐色や濃い紺色で、メスのあしは氷色。オスのハサミは左右どちらかが大きく、下部がオレンジ色になる。

**リュウキュウシオマネキ** 甲幅2cm。沖縄本島以南に分布する。あまり日が当たらないマングローブの下にすむ。体の色彩はさまざまで、種類の特徴といえるパターンはない。大きいハサミが右のオスと、左のオスがほぼ同数いる。

**シモフリシオマネキ** 甲幅1cm。沖縄本島以南に分布する。マングローブ林の奥の、あまり日が当たらない木の下にすむ。甲には黒い斑点、あしには白い斑点がある。大きいハサミが右のオスと、左のオスがほぼ同数いる。

# マングローブ干潟は鳥たちのオアシス

ふう、下ばかり見ていたら、マングローブの緑がまぶしいや。
よく見ると、あそこのマングローブの木の下に鳥がいる……。

「あの鳥はなんですか？」

「あれは、水辺に多いサギのなかまのコサギだね。
体が小さくて、黒いくちばしと黄色い足先が目印だ。カニや小魚を食べにやってきたんだよ。」

「たしかに、たくさんのカニがいるから、食べものにはこまらなそうだなあ。」

「西表島や、ほかの沖縄の島々の多くは、
渡り鳥が渡っていくルートにもなっているんだ。
旅のとちゅうに島に立ちよった渡り鳥は、マングローブ林で羽を休め、
干潟でじゅうぶんに食べて、体力を回復させてから、また旅立っていくんだよ。
言ってみれば、ここは、砂漠の中のオアシスのような場所なんだね。」

水辺で小魚をねらうコサギ。コサギは、西表島では一年じゅう見ることができる〈留鳥〉だ。

マングローブ林に集まるサギのなかま（11月の写真）。灰色の大きい鳥が〈冬鳥〉として西表島に渡ってきたアオサギ。樹上の白くてくちばしが黄色い鳥がダイサギ。このダイサギは、冬鳥として西表島に渡ってきたもの。夏に見られるダイサギは〈夏鳥〉で、冬は南へ渡る。地面にいる少し小さいのがコサギ。

ゴカイやカニをさがすハマシギ。ハマシギなどのシギのなかまや、チドリのなかまの多くは、〈旅鳥〉として春と秋に西表島を通過するが、秋に北から渡ってきた鳥の一部は、西表島で冬を越す。

# 干潟の生きものを養うマングローブ

「ところで、忘れちゃいけないのが、
干潟でカニたちが食べていたデトリタスの多くは、
マングローブが供給しているということ。
つまり、マングローブの落ち葉がくさって細かくなったりしたものが、
大量のデトリタスとなって干潟にたまっていくんだ。
そのデトリタスをカニが食べ、そのカニを鳥が食べて栄養をとり、
その鳥のふんや、カニやゴカイの排せつ物が水にとけだしたものは、
植物プランクトンやマングローブの養分になっている。
そうやって、多くの生きものが食べものをとおしてかかわりあうことで、
ゆたかな生態系がつくりあげられているんだよ。」

「そうか、マングローブは、干潟の生きものを養っているんですね。」

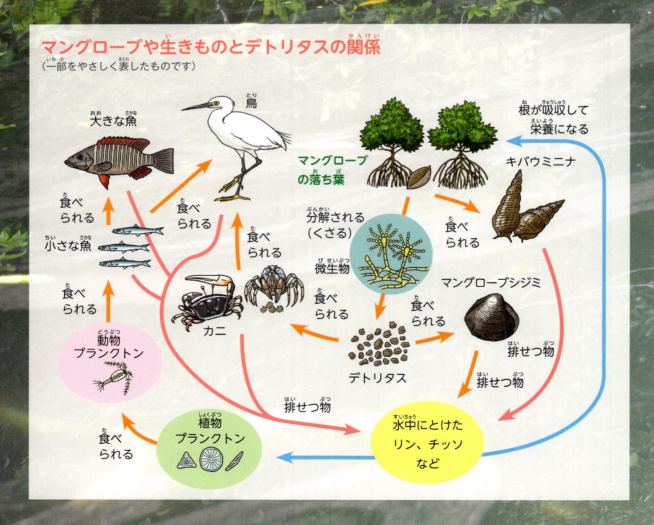

マングローブや生きものとデトリタスの関係
（一部をやさしく表したものです）

水面をただようマングローブの落ち葉などを、水中から見たところ。これらがデトリタスのもとになる。

潮が引きはじめたマングローブ林の中を流れる川では、水面をゴミのようなものがたくさん流れ、墨流しのような模様をつくることがある。これらも、生きものにとって大切な栄養分になる。

# たくさんの生きものがすむ マングローブ林

「マングローブ林の中にも、たくさんの生きものがくらしているよ。ちょっと、おどろかされるような生きものも多いんだ。」

「へぇ、どんな生きものが見られるのか、楽しみ！」

「まず、見せたいのが、これだよ。」

「うわぁ、大きい！　これはハマグリ？」

「いやいや、これはシジミ貝のなかまなんだ。日本一大きなシジミ貝、マングローブシジミだよ。」

「これがシジミ〜⁉」

支柱根で混みあうヤエヤマヒルギの森。

### 手のひらぐらい大きなシジミ！

**マングローブシジミ**
**（ヒルギシジミの一種／シジミ科）**
殻長12cm。奄美大島以南に分布する。後ろの写真のようなヤエヤマヒルギの下などで泥にもぐり、デトリタスを食べる。

### マングローブ林のそうじ屋さん

**キバウミニナ**（キバウミニナ科）
殻高10cm。大型の巻き貝。八重山諸島以南に分布し、マングローブの木の下に多数が集まってくらしている。

ヤエヤマヒルギの根のまわりに、キバウミニナがたくさんいた。

「こちらにいる巻き貝はキバウミニナだ。」

「これも大きいね！ それにたくさんいる！」

「キバウミニナは、落ち葉を食べて、消化してふんを出す……そうじ屋さんだ。」

「そのふんが水にとけだしたものが、マングローブや植物プランクトンの養分になるんでしたよね。」

「そうだよ。生きものが集まれば、そこに、食う食われるの関係ができる。こうした関係を〈食物連鎖〉というんだ。」

## 地面をぴょんぴょんとぶ魚！

「ほら、こちらにはミナミトビハゼがいるよ。」

「あれ、魚なのに、水の外に出てる！」

「ミナミトビハゼは、皮ふで呼吸ができるんだ。だから、水から出ても平気なんだよ。」

「変わってるなぁ……。うわっ、と、とびはねた！」

**ミナミトビハゼ**（ハゼ科）
全長10cm。奄美大島以南に分布する。名前のとおり、曲げた尾部をいきおいよくのばしてとびはねるのも特徴。ぴょんぴょんと連続でとびはねる。小さな生きものを食べる。トントンミーとよばれ親しまれている。

## 超強力なハサミの持ち主！

**ノコギリガザミ**（ワタリガニ科）
甲幅20cm。房総半島以南に分布し、とくにマングローブ林に多くすむ。大型のカニで、貝や小さなカニ、小魚などの生きものをとらえて食べたり、その死がいなども食べる。

「あっ、こっちには大きなカニがいる！」

「これはノコギリガザミだね。気をつけて！ ハサミはすごい力があるよ。かたい貝殻も割ってしまうくらいなんだ。」

「あの、泥のもり上がりはなんだろう？
てっぺんに穴があいている！」

「あれは、オキナワアナジャコがつくった泥の塚。
穴は出入り口だよ。
この塚は、マングローブ湿地の中にできた
島みたいなもの。
だから、ほかの生きものがすみついたり、
塚の上に陸上の植物が生えたりするんだ。
オキナワアナジャコは、ふつうは夜行性で、
昼間は穴から出てこないけど、
きょうは研究のためにつかまえていたものを
特別に見せてあげよう。」

「やった～！
マングローブ林の生きものたちって、
どれもふしぎで、とてもおもしろいですね！」

オキナワアナジャコの塚。

**オキナワアナジャコ（オキナワアナジャコ科）**
全長20cm。奄美大島以南に分布する。名前に「シャコ」
がついていても、エビに近いなかま。マングローブの
地面に巣穴を掘り、掘り出した泥で大きな塚をつくる。
デトリタスやプランクトンを食べる。

マングローブ林の泥の建築家

## 快適なすみか？ ヒルギ・マンションの住人たち

マングローブ干潟の生きものは、地面にばかりいるわけじゃない。
オヒルギ、メヒルギ、ヤエヤマヒルギなどを合わせて、ヒルギ類とよぶけど
そのヒルギ類も、生きものたちの立派な家になっているんだ。
高くて、枝や葉でたくさんの部屋に分かれたヒルギ類は、
生きものにとってはマンションなのかもしれないね。
そこでは、木をのぼるカニや、水をいやがる貝など、
ちょっと変わった生きものたちもくらしているよ

**ヒルギハシリイワガニ（イワガニ科）**
甲幅2.5cm。沖縄本島以南に分布する。名前のとおり、ヒルギ類の根や幹にいることが多い。すばやく動きまわるため、観察しにくい。

**野鳥**
マングローブを食事や休息の場所としているサギなどの水鳥のほか、陸地側からも多くの鳥がおとずれる。メジロのようにオヒルギの花のみつを吸いにくるものもいる。写真はリュウキュウサンショウクイ。

**オカガニ（オカガニ科）**
甲幅6～7cm。沖縄本島以南に分布する。大型で半陸生のカニ。マングローブ林周辺の草むらなどに巣穴を掘ってすむ。地上性だが、まれに木にのぼることもある。

**ヒラマキアマオブネ（アマオブネガイ科）**
殻高2cm。奄美大島以南に分布する。貝殻は巻いた層の部分（螺塔）が平たいのが特徴。ヤエヤマヒルギの支柱根についている。

### チョウなどの昆虫
ヒルギなどの花のみつを吸いに、チョウのなかまがよくおとずれる。西表島の調査では、オヒルギなどのみつを求めて花をおとずれる昆虫は、数百種も記録されている。写真は、オヒルギの花にきたジャコウアゲハ。

### イロタマキビ（左）、ウズラタマキビ（右）（タマキビガイ科）
殻高約2cm。イロタマキビは沖縄諸島以南、ウズラタマキビは紀伊半島以南に分布する。海水をさけて、岩の上やマングローブの樹上にすむ。イロタマキビは、ウズラタマキビより高い場所にのぼる。

### ミツカドカニモリ（オニノツノガイ科）
殻長約2cm。沖縄本島以南に分布する。干潟にすみ、ヤエヤマヒルギの支柱根などにもよくのぼっている。貝殻が三角形に角張る。

### カキの一種（イボタガキ科）
殻幅約5cm。カキのなかまで、ヤエヤマヒルギの支柱根などについている。

船浦湾の干潟から見た〈ピナイサーラの滝〉。西表島を代表する風景のひとつ。

# 4章 マングローブ林が満潮で別世界に！

潮の満ちたマングローブ林。

マングローブ干潟や森の中を夢中になって歩いていたら、いつのまにか潮が満ちてきていた！

「マングローブ干潟に来たときと、まったくちがって海の中の森になってしまいましたね。」

「潮の満潮と干潮は、1日におよそ2回ずつ起こる。満潮と干潮の時間は毎日少しずつ変わっていくし、干満の差も変わっていく。マングローブ林は、1日のあいだで見ても、そして1か月、1年のあいだで見ても、何度もはげしい環境の変化がくりかえされる、そんな場所に生えている林なんだ。ここからは、潮が満ちたあとのマングローブ林のようすを紹介しよう。」

マングローブ干潟では、潮が満ちてくると、カニの巣穴などにあった空気が押し出されて、たくさんの泡が生まれる。

マングローブ林の奥まで潮が満ちて、オヒルギの膝根も水面の下になった。

潮が満ちてきたので、ヤドカリたちも移動をはじめた。

海からクラゲもやってきた。

すっかり水につかってしまったメヒルギ。

# マングローブの根は巨大な迷路！

「この写真は潮が満ちたときの、水中のヤエヤマヒルギのようすだよ。
四方にのびたヤエヤマヒルギの支柱根（→p.16）のまわりには、小魚がいっぱい。
なんだか、まるで巨大な迷路みたいでしょう？
潮が満ちると、マングローブ林には複雑な水中の環境があらわれるんだ。
この複雑な環境が、とても大切なんだよ。」

「え〜っ？　いったい、なにに、どう大切なんだろう？」

ヤエヤマヒルギの支柱根のあいだに、たくさんのアマミイシモチ（→p.57）が群れる。

# マングローブは小魚たちのシェルター

「マングローブ林内の水路は水深が浅くて、海よりも塩分が薄い汽水域。
だから、この場所だけにすみ、体が少し小さい種類の魚が見られるんだよ。
また、大きくなると海に出る魚も、小さくて泳ぐ力の弱い幼魚の時期は、この場所で過ごすんだ。
ところで、ヤエヤマヒルギのマングローブ林内は、支柱根がじゃまで歩きにくかったよね？」

「はい。とっても！」

「それは、潮が満ちたときでも同じで、体が大きくて、ほかの生きものを食べる肉食性の魚は、
迷路のような支柱根がじゃまになって、林の中までなかなか入ってこられない。
だから、体の小さい魚や、泳ぐ力の弱い幼魚にとって、満潮時の支柱根の迷路は、
身を守るためのシェルター（避難所）なんだ。」

「海と陸の間の森、マングローブ林なら、小さな魚も安心してくらせるんですね！」

**コモチサヨリ（サヨリ科）**
全長13cm。宮古諸島以南に分布する。下あごが細長くて先がとがる。水面近くを泳ぎまわり、小魚や水面に落ちてきた昆虫を食べる。卵ではなく子をちょくせつ産む。

## マングローブ林の水路などの汽水域にすむ魚たち

**アマミイシモチ（テンジクダイ科）**
全長7cm。屋久島以南に分布する。ヒルギ類の根のあいだに群れる。口先から目を通り、えらぶたまでのびる黒い線と、尾のつけ根の黒い点が特徴。

**リボンスズメダイ（スズメダイ科）**
全長8cm。琉球列島以南に分布する。体は黒褐色だが、切れこみの深い尾びれは中央部が黄色くて目立つ。名前はこの尾びれをリボンに見立てたもの。

**テッポウウオ（テッポウウオ科）**
全長20cm。日本では西表島だけに分布する。背に大きくて黒い斑紋がある。水面上にいる昆虫に水をふきかけ、うち落として食べるという変わった習性をもつ。

**スミゾメスズメダイ（スズメダイ科）**
全長12cm。琉球列島以南に分布する。写真は幼魚で、成魚は名前のとおり全身が黒褐色。リボンスズメダイとともに、ヒルギ類の根のあいだなどにすむ。

**ミヤラビハゼ（クロユリハゼ科）**
全長4.5cm。奄美大島以南に分布する。ヒルギ類の根のまわりの水面近くで、近縁のなかまと群れで泳ぎまわる。第1背びれに青黒色の斑紋があるのが特徴。

**ヒメツバメウオ（ヒメツバメウオ科）**
全長14cm。九州南部以南に分布する。数ひきの小さな群れで泳ぎまわる。体高が高く、とても平たい。写真は幼魚で、幼魚には頭部に2本の黒いたて線がある。

# 海からやってくる大ものたち

「でもね、潮が満ちてくると、
海から肉食の魚たち、ギンガメアジやゴマフエダイなどの幼魚が
マングローブ林の水路へとやってくる。
マングローブの迷路にすむ小魚たちを食べにくるんだ。
これらの魚は、幼魚といっても、
大きなものは全長50cm以上のものもいるから、泳ぐ力も強いので、
マングローブ林がいくら安全なシェルターだといっても、
小魚が迷路から出ると、あっという間におそわれてしまうんだよ。
干潮時の干潟と同じように、満潮時のマングローブ林でも、
生きものどうしの、食う食われるの関係ができあがっているんだね。」

「そうかぁ〜そうなんだ！
きょうはたった1日で、陸の上から海の中まで、
マングローブ林をまるごと体験できた気がします！」

**オニカマスの幼魚（カマス科）**
全長約5cm。成長すると1m以上になる。相模湾以南に分布し、どう猛な肉食魚として知られる。幼魚はマングローブ域でくらしながら成長し、そのすがたは、水面をただようヒルギの散布体に擬態していると考えられている。

**クロコショウダイ（イサキ科）**
成魚は全長45cmになる。紀伊半島以南に分布し、サンゴ礁の外側の岩礁や砂地にすむ。名前のとおり、色は黒っぽい。幼魚はマングローブ域によくあらわれる。小魚や小動物を食べる。

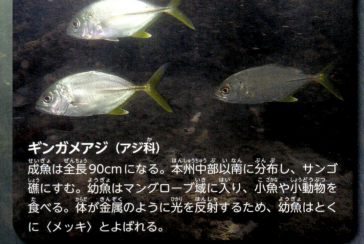

**ギンガメアジ（アジ科）**
成魚は全長90cmになる。本州中部以南に分布し、サンゴ礁にすむ。幼魚はマングローブ域に入り、小魚や小動物を食べる。体が金属のように光を反射するため、幼魚はとくに〈メッキ〉とよばれる。

**クロホシフエダイ（フエダイ科）**
成魚は全長55cmになる。相模湾以南に分布し、岩礁域などにすむ。体の大きな黒斑が名前の由来。マングローブ域にあらわれる幼魚には、体に黄色っぽいたて線もある。小魚や小動物を食べる。

**ゴマフエダイ（フエダイ科）**
成魚は全長70cmになる。本州中部以南に分布し、岩礁やサンゴ礁にすむ。成魚は体に黒点、幼魚は横縞がある。幼魚のほか、体の大きい若魚もマングローブ域に多く、小魚や小動物を食べる。

**ナンヨウチヌ（タイ科）**
成魚は全長50cmになる。八重山諸島以南に分布し、河口やマングローブ域にすむタイのなかま。体高が高く、尻びれなどが黒い、雑食性で、小動物などを食べる。

# また会おうね、西表島！

最終日、先生は西表島の、とっておきの場所に連れていってくれた。
展望台から見下ろすと、曲がりくねった川とそのまわりをうめつくす緑！
川のまわりの平地にひろがっているのは、全部マングローブ林なんだって!!

「ここは西表島でいちばん広い面積をもつ、仲間川のマングローブ林だよ。
東京ドームが33個以上もすっぽり入る、158ha以上もの広さがあるといわれているんだ。
目の前の風景を見るとわかると思うけど、マングローブ林は海と陸のあいだにひろがる森。
だから、海になったり陸になったり、海と陸の両方の環境がそなわっていて、
多くの命をはぐくむことができるんだよ。
今回の旅で、西表島のマングローブ林の魅力がわかってもらえたかな？」

「うん。マングローブ林とそこに生きる生きものたちの関係もよくわかったし、
どこへ行ってもドキドキとワクワクがいっぱいだった！
ぜひ、また来たいな、西表島！」

仲間川のマングローブ林の一部は、「仲間川天然保護区域」として、国の天然記念物に指定されている。

## 見に行こうよ！ 日本でマングローブが見られる場所

日本には、西表島以外にもマングローブを観察できる場所がある。マングローブの主要な構成種であるヒルギ科の樹木は九州南部以南に分布していて、南の地域へ行くほど、生えている種類がふえていく。また、ヒルギ科以外のマングローブも、南の地域ほど、生えている種類がふえていく（→p.22〜23）。

西表島だけでなく、種子島、奄美大島、沖縄本島、石垣島では、カヌーを使ったマングローブの観察ツアーなどがおこなわれている場所もある。機会があれば、ぜひおとずれて、マングローブを体験してみよう。

### 各ポイントの解説

**❶伊豆・青野川（静岡県南伊豆町）**
旧静岡県有用植物園（現静岡県農林技術研究所・伊豆農業研究センター）が研究のために移植したメヒルギの群落があり、一部は自然繁殖している。自然分布ではないが、日本ではもっとも北で生育するマングローブである。

**❷喜入・米倉川（鹿児島県鹿児島市）**
喜入生見町に自然分布でのメヒルギの北限自生地があり、国の特別天然記念物「喜入のリュウキュウコウガイ産地」（リュウキュウコウガイはメヒルギの別名）に指定されている。案内看板や観察ゾーンも整備されている。

**❸種子島・大浦川（鹿児島県南種子町）**
南種子町の東側、大浦川の河口に、メヒルギの群落がある。「種子島マングローブパーク」が整備され、木道からの観察ができるほか、カヌーツアー体験もできる。

南伊豆町・青野川

喜入・米倉川

屋久島・栗生川

奄美大島・住用川

沖縄本島・漫湖

石垣島・宮良川

### ❹屋久島・栗生川（鹿児島県屋久島町）

島南部の栗生川の河口近くに、屋久島で唯一のメヒルギの群生地がある。以前は川の両岸に生えていたが、護岸工事などの影響で減少したため、保護活動がおこなわれている。

### ❺奄美大島・住用川、役勝川（鹿児島県奄美市）

奄美市住用町の住用川と役勝川の合流点に発達したマングローブ林で、オヒルギとメヒルギ、サキシマスオウノキなどが分布する。奄美群島国立公園の特別保護地区に指定され、「黒潮の森 マングローブパーク」でカヌーを使った観察ツアーなどの体験ができる。

### ❻沖縄本島・漫湖（沖縄県那覇市・豊見城市）

人口約30万の都市・那覇市と、豊見城市の境に位置し、オヒルギ、メヒルギ、ヤエヤマヒルギが見られる。鳥獣保護地区、ラムサール条約登録湿地に指定されている。「漫湖水鳥・湿地センター」があり、木道なども整備されている。

### ❼沖縄本島・慶佐次（沖縄県東村）

沖縄本島北部の東村にある慶佐次川の河口に、マングローブ林が発達する。「慶佐次湾のヒルギ林」として国の天然記念物に指定され、遊歩道なども整備されている。

### ❽宮古島・島尻（沖縄県宮古島市）

島北部の島尻にある長さ1kmほどの細長い入り江に、マングローブ林が発達する。オヒルギ、メヒルギ、ヤエヤマヒルギ、ヒルギダマシ、ヒルギモドキの5種類が観察できる。

### ❾石垣島・宮良川（沖縄県石垣市）

島南部の宮良川の河口から1.5kmにわたって発達するマングローブ林。「宮良川のヒルギ林」として国の天然記念物に指定されている。カヌーでの観察ツアーもおこなわれている。

### ❿石垣島・名蔵アンパル（沖縄県石垣市）

島西部の名蔵川の河口に発達するマングローブ林で、鳥獣保護地区、ラムサール条約登録湿地、西表石垣国立公園の特別地域に指定されている。

# 5章 マングローブとわたしたち

　ここでは、世界のマングローブ林や、マングローブと人間とのかかわり、それに、マングローブを取りまく、いろいろな問題について考えていこう。マングローブ林は、熱帯・亜熱帯地域にくらす人々にとっては、とても重要なものだったけれど、時代とともにその関係も変わってきているんだ。　この章の写真：馬場繁幸（＊印以外）

## 世界のマングローブ林

　右の「マングローブがある地域」の図でもわかるように、日本のマングローブは、世界の分布域のもっとも北（北限）にあるマングローブだね。
　日本のマングローブ林の面積は約740ha。でも、世界の熱帯・亜熱帯地域には、日本の約2万倍以上の約1500万haを超える面積のマングローブ林があり、マングローブの種類も大きさも、日本のものとはちがうんだ。でも、世界のマングローブ林の面積は、熱帯林全体の約1％しかないんだよ。

まるで海にうかぶ小島のように見えるマングローブ（フィジー）。

巨大なマングローブ。写真の中央と左側、木のそばにいる人とくらべると、大きさがよくわかる（フィジー）。

　世界のマングローブ林では、日本では見られないような、とても大きなマングローブが育っていることもあるよ。

　もちろん、マングローブ林には、多くの生きものがくらしているほか、周辺の森とマングローブ林を行き来する生きものも多く、地域によっては、日本には生息していないトラ（ベンガルトラ）やテングザルなどの、希少な動物が見られることもあるんだ。

**テングザル（オナガザル科）**
体長は、オスが70cm前後で、メスはひとまわり小さい。尾の長さは、体長と同じくらい。ボルネオ島のマングローブ林にすみ、マングローブの若葉や散布体（→p.18）を食べる。オスの大きな鼻が「天狗」の名前の由来。国際自然保護連合のレッドリストで絶滅危惧種に指定されている希少な動物（マレーシア）。

# マングローブ林のめぐみと大切さ

マングローブ林は、貴重な生きものがすんでいる自然環境というだけでなく、そこにくらす人々の生活にとっても、とても大切な存在なんだ。そのいくつかの例を紹介してみるよ。

2009年のサモア沖地震では、マングローブ林が津波で流されてきた漂流物をせき止めて、内陸部への被害を小さくした（サモア）。

海岸浸食の例。砂が流出して、たおれてしまったココヤシ（キリバス）。

熱帯の一部や、亜熱帯地域は、台風やサイクロンに見舞われることが多い。このようなとき、マングローブ林があると、強風や高潮の力を弱める効果があるよ。それに、大きな地震で起こる津波の力を弱める効果があることも、2004年に起きたスマトラ島沖地震の津波で確かめられているし、そのときに津波に流された人が、マングローブにつかまって助かった例もある。
また、近年では、二酸化炭素などの温室効果ガスによる、地球温暖化が話題になっているね。じつは地球温暖化が起こると、極地の氷がとけて海面上昇を起こし、それによって世界各地で海岸の土砂を浸食してしまうんだ。しかし、地中にしっかりと根をのばしたマングローブ林があれば、海岸浸食を弱め、海岸の土がなくなるのを遅らせることができるんだよ。

マングローブ林が風や波を防いでくれるので、林内の水路は小舟でも快適に行き来できる（ベトナム）。

## 海の幸がゆたかな漁場

マングローブ林では、魚やエビ、カニ、貝類などが豊富にとれる。マングローブ林の近くにくらす人たちは、それらを食べるだけでなく、町で売るなどして現金収入を得ているよ。マングローブ林がなくなると、環境が変化して魚やエビなどの生きものがすめなくなり、そこにすむ人たちが収入を得ることもできなくなってしまうね。

投網で魚をとる漁師（上）と、とれた魚やエビ（スリランカ）。

市場で売られるオキナワアナジャコのなかま（左）と、ノコギリガザミ（どちらもフィジー）。

ノコギリガザミを使った料理（スリランカ）。

### 知ってる？ 地球温暖化防止に役立つマングローブ林

マングローブは、ほかの樹木と同じく光合成をして二酸化炭素を吸収し、体内にデンプンなどの炭素をふくむ光合成産物をたくわえている。森林では、落ち葉や枯れた枝、幹、根などは、地面に落ちると微生物に分解され、光合成産物の炭素も二酸化炭素になって大気中に出てしまう。ところが、マングローブ林は満潮時に海水におおわれ、空気にふれる時間がふつうの森林より短いので、落ち葉などが分解されるのがとても遅い。でも、落ち葉などはつぎからつぎへと地面に落ちてくるので、分解されないものがどんどんたまっていく。つまり、マングローブ林はほかの森林にくらべ、地中により多く炭素をためることになるため、近年では、地球温暖化の防止に役立つ環境として、特に注目されている。

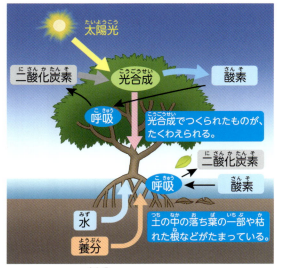

マングローブが炭素をたくわえるしくみ。

ニッパヤシの葉を使った家の屋根と壁（ベトナム）。しかし、ニッパヤシの葉を使うには、とても手間がかかるので、最近では、安くてじょうぶなプラスチックなどの板が使われるようになっている。

ニッパヤシの葉を使った家の外観（ベトナム）。*

## 家を建てるための材料

　水につかる場所に生えているヒルギのなかまは、材がくさりにくい特徴があるので、昔から家を建てるときに、柱などに使われていた。また、ニッパヤシの葉はたばねたり編んだりして、屋根や壁の材料として使われていたんだ。でも、最近では、そんな使われかたもだんだん少なくなってきているよ。

たばねたニッパヤシの葉を使って家の壁をつくる（ベトナム）。

## 燃料として木炭へ加工

ヤエヤマヒルギのなかまで、アジアの国々に生えているフタバナヒルギは、材が密でかたいので、火力の強い木炭にできる。日本でバーベキュー用などに売られている木炭のうち、箱に「南洋備長炭」と書かれたものは、フタバナヒルギからつくられた木炭だよ（→p.76）。昔は、マングローブ林の近くにすむ人たちは木炭を使っていたけど、最近はプロパンガスなどに代わってきているよ。

フタバナヒルギから燃料用の木炭をつくる人たち（マレーシア）。

## 漁具を染める染料

マングローブのなかでも、ヒルギのなかまやサキシマスオウノキの樹皮は、布を染める染料になる。とくにヒルギのなかまの樹皮を煮出した汁で染めた漁網や船の帆は、強さが増すといわれていたんだ。ヒルギのなかまの樹皮は、日本では昔から「丹殻」とよばれて、海外から輸入されて使われていたよ。でも、今は化学染料が使われるようになって、ヒルギのなかまや、サキシマスオウノキの樹皮を染料として使っているのは、「草木染め」をしている人だけになってしまったんだ。

水害を防ぐための河川改修で切られたサキシマスオウノキを有効利用するための体験学習で、小学生がその樹皮を煮出してつくった樹皮染料（奄美大島）。

## 家畜に食べさせる飼料

雨が少なく、乾燥した気候の中東のオマーンやカタール、そしてインドの西海岸地方では、マングローブの一種であるヒルギダマシの葉や若い枝が、家畜の飼料として使われているんだ。琉球大学の研究では、ヒルギダマシの葉をヤギにあたえたところ、とてもよく食べたということが報告されているよ。

牛に飼料としてヒルギダマシの葉をあたえる（インド）。

# 減ってしまったマングローブ林

マングローブ林が伐採されて、荒れはてた土地。その奥に見えているのがアブラヤシの大規模農場（マレーシア）。

開発が許可されていない場所なのに、法律を守らずに伐採されてしまったマングローブ林（マレーシア）。

　熱帯・亜熱帯地域にくらす人たちだけでなく、わたしたちにも、いろいろなめぐみをもたらしてくれるマングローブ林だけど、伐採によって、世界各地で急速にその面積が減っているんだ。昔は今ほど、マングローブ林の大切さがあまり理解されていなかったんだね。
　東南アジアのタイでは、30年ほどのあいだに、国内のマングローブ林の面積が半分ほどに減ってしまったため、法律を定めてマングローブ林の伐採を禁止したんだよ。その一方で、マングローブ林の伐採をやめない国も、まだまだたくさんあるんだ。

## 人間の活動が原因

マングローブ林がある熱帯・亜熱帯地域の国々では、国が発展して人口が増えると、工場や住宅をつくる土地をひろげるためにマングローブ林を伐採したんだ。それだけではなく、日本などに輸出するエビの養殖がさかんになると、その養殖池をつくるために、マングローブ林がつぎつぎに伐採されてしまったんだよ。

でも今は、法律を整備して伐採を禁止したり、できるだけマングローブ林を残したエビ養殖池づくりへ切りかえるなどの取りくみもはじまっているんだ。

マングローブを伐採してつくられたエビ養殖池（ベトナム）。*

これらの養殖池で養殖されたエビ（ブラックタイガー）。その多くは、日本などに輸出されている。*

マングローブを切りひらいてつくられたエビ養殖池の跡地。この場所は養殖をやめて、マングローブ林にもどすことにした（マレーシア）。

# マングローブ林を育てる取りくみ

なくなってしまったマングローブ林を復活させるために、有効な方法となるのが「植林」だ（キリバス）。

海岸に沿って植林されたヤエヤマヒルギ。大きく育つと、高波を防ぐ自然の防波堤にもなる（キリバス）。

マングローブ林がなくなってしまうと、そこにくらしていた生きものはすがたを消し、人間もそのめぐみを受けとれなくなる。でも、なくなってしまったマングローブ林をもとにもどすには、30年とか50年といった長い年月がかかるんだ。だから、少しでも早く、もとにもどすための取りくみが世界各地でおこなわれている。

その取りくみの代表的なものが、「植林」なんだ。植林はもともと、木材などを得る目的で、わたしたちの生活に役立つ種類の木を植えることが多かったけれど、今ではマングローブの植林のように、環境を守る目的でおこなわれ、もともとその場所に生えていた種類の木を植えるようにしているんだ。マングローブの植林でも、ちがう地域のマングローブをもちこむのではなく、同じ地域に生えているマングローブを植えるんだよ。

地球温暖化による海面上昇で、海岸浸食が深刻なキリバスでは、子どもたちと大人がいっしょになり、日本からのボランティアも加わって、マングローブの植林がおこなわれている。

マングローブの植林をするためには、植える木の種類を決めて、散布体などを採集して苗に育てたり、植える場所の土の性質や潮の満ち干などを調べたりなど、多くの調査や準備が必要なんだ。それに植林しても、それが成功といえるかどうかは、数年から数十年たってみないとわからない。

　とてもたいへんな仕事だけど、大切なことだし、やりがいがある。ぜひ、みんなにも関心をもってもらいたいな。

植林のためにマングローブの苗木を育てる（スリランカ）。

マレーシアのこの場所は、法律によって保護されたマングローブ林だったのに、それが守られずに伐採され、アブラヤシが植えられてしまっていた。それをもとにもどすために、日本人ボランティアがマングローブを植林した（左）。植えたマングローブは、3年後には1〜3mに成長した（下）。

## みんなで考えよう！海からくるゴミ問題

強い季節風の影響で、海岸に打ちよせられてたまってしまった海洋ゴミ（西表島）。

　近年では、海を漂流しているゴミ、海洋ゴミが問題になっているよ。海洋ゴミは海岸に流れつき、マングローブ林に入りこむと、海にもどらずにたまってしまう。つまり、海洋ゴミの問題は、マングローブ林の保護の問題でもあるんだ。

　それらのゴミは、マングローブの生育や、そこにすむ生きものにわるい影響をおよぼす可能性があるし、景観もそこねてしまう。しかし、海岸に流れつくゴミは大量で、それを清掃するには多くの人手と費用がかかるので、なかなか手がまわらないのが現状だ。日本では、海洋ゴミは外国からくるものが多いけれど、国内のゴミもまじっている。海にゴミを流さない方法を、みんなで考えていかなくてはいけないね。　このページの写真：長島敏春

海洋ゴミは、マングローブ林の奥にまで入りこんでしまうこともある（上）。大量のゴミを清掃するのは、とてもたいへんだ（下）。

# マングローブをじょうずに利用する

マタンで使われている直径6mもある大きな炭焼き窯（マレーシア）。

利用林でのマングローブ伐採のようす（マレーシア）。

人々に多くのめぐみをあたえてくれる一方で、開発などで減ってしまい、植林もおこなわれているマングローブ林。でも、保護と利用を両立させている例もあるんだ。たとえば、マレーシアのマタン地区では、100年以上にわたってマングローブ林をとてもじょうずに利用しているよ。

まず、マングローブ林を保護林と利用林（伐採してもよい林）とに分けて、利用林はさらに30区画に分ける。そのなかの1つの区画を伐採すると、その区画をつぎに伐採するのは30年後。そのあいだに、そこに新たに生えたマングローブは、伐採したときと同じくらいの大きさに育っている。この方式だと、マングローブ林はなくなることはなく、いつまでも利用できるから、持続可能な利用方法といえるね。伐採されたマングローブは、木炭にされて日本などに輸出されているよ。

わかってほしいのは、マングローブを切って木炭をつくることが、わるいことなのではないってこと。木を切っても、マングローブ林がなくならない方法で利用することが大切なんだ。

マタンでつくられて日本へ輸出されている木炭（右）。マングローブの木炭は、バーベキューなどのレジャー用のほかに農業用の土壌改良材などにも使われている。みなさんがキャンプなどで楽しむバーベキュー（左）＊。そのときに使用した木炭の箱に「マレーシア」と書かれていたら、それはマタンでつくられたマングローブの木炭かもしれない。

## マタンのマングローブ林利用の模式図

利用林の区画は、満潮と干潮の水の流れかたと、伐採した木を舟で運び出すことを考えて、川に沿って設けられている。伐採する区画にとなりあう区画はしばらくのあいだは伐採せず、伐採した区画へのマングローブの散布体の供給地にする。そうすることで、伐採地に自然とマングローブ林が再生するようにしている。30年を経過してじゅうぶんにマングローブが成長すると、ふたたび伐採をおこなえるようになるというわけだ。

森林は守らなければいけない貴重な自然だ。その一方で、森林は切った分だけ育ててやればまた利用できる、再生産可能な天然資源でもある。同じ天然資源でも、石油や石炭は使うと再生産ができず減るだけだよ。

マタンでのマングローブの利用方法は、日本の林業、たとえば京都府北山のスギ林や、かつての里山での雑木林の利用方法と同じなんだ。つまり、森林全部を伐採せず、しっかり管理して、育った分だけを毎年切る方法だよ。この方法だと、いつまでも森林がなくならないから、持続可能な森林資源の利用になるね。

日本やマレーシアにかぎらず、森林は地球の大切な自然環境だけれど、わたしたちは昔から森林資源を利用して生きてきたし、この先の未来も森林資源は必要なものだね。だから、森林をただ守るのではなく、利用できる林は持続可能な方法で伐採していくことが大切なんだ。自然環境としての森林と、資源としての森林、それぞれをよく理解して、森林をどのように守り、利用していけばよいのか、みんなも考えてみてね。

マレーシアのマタンのマングローブ林。

日本の京都府北山のスギ林。*

「マングローブからつくられた木炭が日本で売られているなんて、おどろいたかな？　森林資源の持続的な利用は世界共通の課題だし、みんなもマングローブを身近な存在として考えてほしいな。」

## 読者のみなさんへ

　1980年代、熱帯各地のマングローブ林は、利用価値のない不毛の湿地と考えられ、開発やエビ養殖池への転換などで熱帯各地から急速に消失しました。しかし、1990年代になると、生物多様性の宝庫などと認識され、マングローブ林再生への取りくみがはじまりました。そして今日では、地球温暖化抑制のための二酸化炭素吸収源としても重要であると認識されるようになっています。

　そんなマングローブが、日本において最大の面積で分布しているのが、西表島です。西表島の人たちは数百年以上にわたって自然と共存し、国の重要無形文化財にもなっている独特な文化を継承し、マングローブの大切さ、自然のゆたかさを伝えつづけています。そんな西表島の日本最大のマングローブ林を探検し、島での生活を体験することで、みなさんに地球環境問題をより身近に感じたり、これまでとはちがった新しい自分を見つけたりしてもらいたいという願いをこめて、この本を出版することにしました。この本を読んで、マングローブや西表島に興味をもったら、ぜひ一度、島をおとずれてみてください。

国際マングローブ生態系協会理事長<br>
馬場繁幸

国の特別天然記念物に指定されているカンムリワシ。

浦内川河口のマングローブと干潟。

人家の庭などによく植えられているブッソウゲ（ハイビスカス）。

■参考文献■

『新版 海と生きる森―マングローブ林―』（馬場繁幸編／国際マングローブ生態系協会）、『西表島＆仲間川ハンドブック』（国際マングローブ生態系協会監修／東部交通）、『南の島の自然観察 沖縄の身近な生き物と友だちになろう』（土屋誠、宮城康一共編／東海大学出版会）、『マングローブ入門 海に生える緑の森』（中村武久、中須賀常雄共著／めこん）、『ハンドブック 海の森・マングローブ』（中村武久監修／信山社）、『サンゴとマングローブ』（茅根創、宮城豊彦著／岩波書店）、『月刊たくさんのふしぎ 西表島のマングローブ』（横塚眞己人著／福音館書店）、『改訂版 西表島フィールドガイド』（横塚眞己人著／実業之日本社）、『改訂版 原色のパラダイス イリオモテ島』（横塚眞己人著／新日本教育図書）、『改訂版 西表島 マングローブの生き物たち』（吉見光治著／ニライ社）、『西表島』（吉見光治著／文一総合出版）、『自然ガイドブック マヤランド西表島Ⅲ. 野外に出よう その2 マングローブと海』（安間繁樹著／新星図書出版）、『ネイチャーツアー西表島』（安間繁樹著／東海大学出版会）、『西表島エコツーリズム・ガイドブック ヤマナ・カーラ・スナ・ピトゥ』（西表島エコツーリズム協会）

## 西表島に行くには

　この本の舞台となった西表島へは、各地の空港から那覇経由か、直行便で、南ぬ島石垣空港へ。空港からはバスかタクシーで石垣港離島ターミナルへ（約30～40分）。西表島へは東部の大原港行きか、西部の上原港行きの高速船に乗船する（40～50分）。冬期は強い北風が吹くと、上原港行きは欠航することが多いので注意。上原行きが欠航の場合は、大原港から船会社の送迎バスが運行している。島内には民宿、ペンションなどの宿泊施設のほか、キャンプ場もあるが、夏期を中心に観光シーズンは混雑するので事前の予約が必要（くわしくは各航空会社、船会社、旅行会社へ）。

恐竜時代の植物のような木生シダのヒカゲヘゴ。

日本最大のチョウ、オオゴマダラ。

海岸にはマングローブ林のほかに、きれいな砂浜もある。

### 西表島のマングローブ林

　島内を流れる多くの河川の河口域にマングローブ林が発達しているが、とくに東部では仲間川と前良川や後良川の河口域、西部では浦内川や大見謝川、仲良川の河口域や船浦湾などが観察に適している。仲間川と浦内川では観光船が運航され、カヌーによるツアーも島内のいくつかの川でおこなわれている。

　西表島は全島が西表石垣国立公園地域になっていて、仲間川や浦内川の流域の一部は同国立公園の特別保護地区をふくむ特別地域であり、仲間川のマングローブは「仲間川天然保護区域」として国の天然記念物に指定されている。

浦内川の観光船。マングローブの案内もしてくれる。

# さくいん

## あ行

- アオサギ ……………………………… 43
- アダン ………………………… 30、31、33
- アブラヤシ ……………………… 70、74
- アマミイシモチ ……………… 54、55、57
- 一日花 ……………………………… 29
- イロタマキビ ……………………… 51
- ウズラタマキビ …………………… 51
- エビ養殖池 ……………………… 71、78
- 塩分 ……………… 12、14、15、20、21、28、30、31
- 塩類腺 ……………………………… 15
- オオゴマダラ ……………………… 79
- 大潮 ………………………………… 11
- オカガニ …………………………… 50
- オキナワアナジャコ …………… 49、67
- オキナワハクセンシオマネキ … 40、41
- オニカマス ………………………… 58
- オヒルギ ……… 12、15、17～19、22、26～28、30、31、50、51、53、63
- 温室効果ガス ……………………… 66

## か行

- 海岸浸食 ………………………… 66、73
- 海面上昇 ………………………… 66、73
- 海洋ゴミ …………………………… 75
- カキの一種 ………………………… 51
- 花茎 ………………………………… 29
- 果実 ………………… 18、23、32、33
- 干潮 ……………………… 11、25、52
- カンムリワシ ……………………… 78
- 気根 ………………………………… 16
- 汽水域 ……………… 12、14、20、56、57
- キバウミニナ …………………… 44、47
- 求愛行動 …………………………… 40
- ギンガメアジ ……………………… 59
- クラゲ ……………………………… 53
- クロコショウダイ ………………… 59
- クロホシフエダイ ………………… 59
- 光合成 ……………………………… 67
- ゴカイ …………………………… 43、44
- 国立公園 ………………………… 63、79
- ココヤシ …………………………… 66
- コサギ …………………………… 42、43
- ゴバンノアシ ……………………… 33
- ゴマフエダイ ……………………… 59
- コモチサヨリ ……………………… 56
- 根茎 ………………………………… 29

## さ行

- 魚 ……………… 42、44、48、54、56～59、67
- サガリバナ ……………………… 29、30、33
- サキシマスオウノキ ……… 17、28、30、31、33、63、69
- サギのなかま ……………………… 42、43
- 散布体 …… 18、20、22、23、32、33、58、74、77
- シオマネキ ……………………… 40、41
- シギのなかま ……………………… 43
- 支柱根 ……………… 15、16、22、50、51、54～56
- 膝根 ……………………… 16、17、22、28、53
- シモフリシオマネキ ……………… 41
- ジャコウアゲハ …………………… 51
- 種子 ………………………… 18、21、32、33
- 筍根 ……………………… 16、17、23、25
- 植物プランクトン ……………… 44、47
- 植林 …………………………… 72～74
- 食物連鎖 …………………………… 47
- 森林資源 …………………………… 77
- スミゾメスズメダイ ……………… 57
- 成魚 ……………………………… 57～59
- 生態系 ……………………………… 44
- 絶滅危惧種 ………………………… 65

## た行

- ダイサギ …………………………… 43
- 胎生種子 …………………………… 18
- 旅鳥 ………………………………… 43
- 地球温暖化 ……………… 66、67、73、78
- チドリのなかま …………………… 43
- チョウ …………………………… 51、79
- 津波 ………………………………… 66
- テッポウウオ ……………………… 57
- デトリタス ……………… 37、44～46、49
- テングザル ………………………… 65
- 天然記念物 …………… 32、62、63、78、79
- 動物プランクトン ………………… 44
- トラ（ベンガルトラ） …………… 65

## な行

- 夏鳥 ………………………………… 43
- ナンヨウチヌ …………………… 58、59
- 二酸化炭素 ……………… 66、67、78
- ニッパヤシ ……………………… 29、32、68
- 熱帯・亜熱帯地域 ……… 12、64、66、70、71
- 熱帯林 ……………………………… 64
- ノコギリガザミ ………………… 48、67

## は行

- 胚軸 ………………………………… 18
- 排せつ物 ………………………… 37、44
- 伐採 ……………………… 70、71、76、77
- ハマシギ …………………………… 43
- 板根 ……………………… 16、17、22、25、31、33
- ヒカゲヘゴ ………………………… 79
- 干潟 …… 11～13、19、21、25、34～39、40～42、44、50、51～53
- 微生物 …………………………… 44、67
- ヒメツバメウオ …………………… 57
- ヒメモダマ ………………………… 33
- ヒラマキアマオブネ ……………… 50
- ヒルギ ……………… 32、50、51、57、58、68、69
- ヒルギシジミ ……………………… 46
- ヒルギダマシ ……… 15、17、23、25、31、63、69
- ヒルギハシリイワガニ …………… 50
- ヒルギモドキ …………………… 23、63
- フタハオサガニ …………………… 36
- フタバナヒルギ …………………… 69
- ブッソウゲ（ハイビスカス） …… 78
- 冬鳥 ………………………………… 43
- ブラックタイガー ………………… 71
- ベニシオマネキ …………………… 41
- 捕食者 …………………………… 36、38

## ま行

- マヤプシキ ……………… 17、23、25、31
- マングローブ …… 12～14、16、18～24、31、32、41、42、44、45、47、49、62、64～67、71、73～77、79
- マングローブ域 ………………… 58、59
- マングローブシジミ …………… 44、46
- マングローブ林 …… 24、29～33、41～43、45～50、52～54、56～58、60、61、63～67、69～77、79
- 満潮 ……………… 10～12、14、24、28、52
- ミツカドカニモリ ………………… 51
- ミナミコメツキガニ …………… 38、39
- ミナミトビハゼ …………………… 48
- ミナミヒメシオマネキ …………… 41
- ミフクラギ ………………………… 32
- ミヤラビハゼ ……………………… 57
- メジロ ……………………………… 50
- メヒルギ …… 12、15、17、18、22、25、31、50、53、62、63
- 木炭 ……………………………… 69、76、77
- モモタマナ ………………………… 32

## や行

- ヤエヤマシオマネキ ……………… 41
- ヤエヤマヒルギ …… 9、12、13、15、16、18、21、22、25、26、28、31、46、47、50、51、54～56、63、69、72、73
- ヤドカリ …………………………… 53
- 幼魚 ……………………………… 56～59

## ら行

- ラムサール条約登録湿地 ………… 63
- リボンスズメダイ ………………… 57
- リュウキュウコメツキガニ ……… 37
- リュウキュウサンショウクイ …… 50
- リュウキュウシオマネキ ………… 41
- 留鳥 ………………………………… 42
- 林業 ………………………………… 77

## わ行

- 渡り鳥 ……………………………… 42

## この本をつくった人たち

### 監修・5章写真撮影／馬場繁幸（ばば・しげゆき）

1947年、北海道生まれ。1978年、琉球大学農学部に赴任。この年に初めて西表島に行き、そこで「海と生きる森」マングローブを見たときの感動が今も続いている。2005年に西表島にある琉球大学の研究施設に移動、定年退職後も年の3分の1は島で暮らす。また、世界各地をとびまわりマングローブの保全や再生活動にも従事。2015年にキリバス共和国での10年以上におよぶマングローブ植林事業の功績により勲章 "the Kiribati Order of Merit" を授与される。おもな著書に『海と生きる森―マングローブ林』（国際マングローブ生態系協会発行）などがある。農学博士。琉球大学名誉教授。特定非営利活動法人／国際マングローブ生態系協会理事長。

### 取材・撮影／長島敏春（ながしま・としはる）

1954年、東京都生まれ。外国通信社、映像制作会社を経て、2009年に自然写真家として独立。1987年に独学で水中写真を始めてから足繁く通った石垣島で、2007年にサンゴ礁の大白化現象に遭遇。以来、サンゴ礁の生と死を見つめるようになる。また、サンゴ礁とは異なる生態系を持つマングローブにもひかれ、現在は石垣島や西表島に通いながら、熱帯・亜熱帯独特の環境と生き物たちの関係をテーマに撮影するとともに、それらの環境が開発や地球温暖化の影響で消滅の危機にある現状を伝えるべく発信を続けている。著書に『サンゴの海』（偕成社）がある。日本自然科学写真協会理事、日本写真協会会員。

### 企画・構成・編集／安延尚文（やすのぶ・なおふみ）

1965年、神奈川県生まれ。編集プロダクションを経て独立。自然科学と動植物、アウトドア、スキューバダイビング関連の書籍や図鑑、雑誌記事の企画・編集、執筆を専門におこなっている。西表島はダイビングや自然観察で過去に何度も通う大好きな島。編集に携わった図鑑は多数。著書に『ネイチャーウォッチングガイドブック草木の種子と果実』『樹皮と冬芽』（共著／誠文堂新光社）、『ボクのこときらい？カエルのきもち』『海色えんぴつ』（PHP出版）がある。

---

**写真協力**（五十音順・敬称略）：圹寿男（p.63／宮良川）、井上智美（p.68／ニッパヤシ製の家屋）、大沢成二（p.63／栗生川のメヒルギ群落）、刑部聖（p.17／オヒルギの根断面）、鹿児島市教育委員会（p.62／喜入のリュウキュウコウガイ自生地）、笠井雅夫（p.56～59／ナンヨウチヌ、ゴマフエダイを除く全点）、静岡県農林技術研究所・伊豆農業研究センター（p.62／南伊豆町青野川）、成瀬貫（p.41／リュウキュウシオマネキ、シモフリシオマネキ、p.50／ヒルギハシリイワガニ）、馬場繁幸（p.15／ヒルギダマシの葉の塩結晶、p.23／ヒルギダマシの花と果実、マヤプシキの果実、ヒルギモドキの果実、p.48／ノコギリガザミ、p.63／奄美大島住用川、沖縄本島漫湖、p.64～77／＊印とp.75以外の全点）、ピクスタ（p.32／ミフクラギの木と果実、p.33／ヒメモダマの果実、p.71／エビ養殖池、ブラックタイガー、p.76／バーベキュー、p.77／京都府北山のスギ林）、フォトライブラリー（p.32／モモタマナの木と果実、p.33／ゴバンノアシの木と果実）、安延尚文（p.22／オヒルギの樹形、ヤエヤマヒルギの花、p.32、33／漂着種子・果実切り抜き全点、ヒメモダマの種子、p.41／ベニシオマネキ）

**協力**：成瀬貫（琉球大学亜熱帯島嶼科学超域研究機構特命助教授）、山下博由（貝類多様性研究所所長）、国際マングローブ生態系協会

**取材協力**：西表島バナナハウス、ミスターサカナ・ダイビングサービス、琉球大学熱帯生物圏研究センター西表研究施設

**デザイン**：ニシ工芸（西山克之）

**図版・イラスト**：小堀文彦

**校閲**：川原みゆき

---

## マングローブ生態系探検図鑑

2017年7月　初版1刷

監修者／馬場繁幸
発行者／今村正樹
発行所／偕成社
　　　〒162-8450　東京都新宿区市谷砂土原町3-5
　　　☎（編集）03-3260-3229　（販売）03-3260-3221
　　　http://www.kaiseisha.co.jp/

印　刷／大日本印刷株式会社
製　本／株式会社 難波製本
©2017 Shigeyuki BABA, Toshiharu NAGASHIMA
Published by KAISEI-SHA, Ichigaya Tokyo 162-8450
Printed in Japan
ISBN978-4-03-332680-1　NDC457　80p.　28cm

＊乱丁本・落丁本はおとりかえいたします。
本の注文は、電話・ファックス・またはEメールでお受けしています。
Tel: 03-3260-3221　Fax: 03-3260-3222　E-mail: sales@kaiseisha.co.jp